반짝반짝 열여덟

이 책을 내는 동안, 처음부터 끝까지 상냥히 도와주신
김주희 선생님께 감사의 말씀을 전합니다. 많이 사랑합니다.

반짝반짝 열여덟

발 행 | 2024년 1월 10일
저 자 | 전민지
펴낸이 | 한건희
펴낸곳 | 주식회사 부크크
출판사등록 | 2014.07.15.(제2014-16호)
주 소 | 서울특별시 금천구 가산디지털1로 119 SK트윈타워 A동 305호
전 화 | 1670-8316
이메일 | info@bookk.co.kr
편 집 | 김주희

ISBN | 979-11-410-6625-3

www.bookk.co.kr

반짝반짝 열여덟

전민지 지음

목 차

미래의 청년 전민지에게,
미래의 사회인 전민지에게,
미래의 호호 할머니 전민지에게 이 책을 바칩니다.

이 책은 지극히 사적인 책입니다. 전민지, 즉 글쓴이인 제 이야기뿐입니다. 뒤에 가면 남의 이야기가 좀 있긴 하지만, 어쨌거나 제가 본 남들에 대한 이야기입니다. 저는 전민지의 열여덟 살을 조각내어 책으로 담고 싶었습니다. 어릴 적 제가 본 온갖 청춘 소설들의 주인공은 죄다 18살이더라고요. 왜 그런 걸까요? 1학년은 학교에 적응해야 하고, 3학년은 졸업을 준비해야 합니다. 18살은 그 사이에 끼어있는, 애매한 나이라서 그런 걸까요? 아무튼 저는 제가 18살이 된다면, 우연히 잘생긴 옆 학교 남학생과 부딪혀 사랑에 빠지고, 친구들과 싸우고 다투고 극적으로 화해하고, 온 세상이 반짝반짝 나를 비추게 될 줄 알았습니다.

네. 아니더라고요. 제 인생은 생각보다 평범했습니다. 잘생긴 남자친구는 없고, 입시 준비와 공부와 학생회로 친구와 싸우기는커녕 바쁘게만 살았습니다. 뭐, 심심한 현실에 실망할 나이는 지났지만요. 그럼에도 불구하고, 저의 열여덟은 모래같이 반짝거렸습니다. 햇빛에 반사되어 짜글짜글하게 빛나는 바닷가의 모래 말입니다. 아름답게 세공되어 눈이 부실 정도로 빛나는 다이아몬드는 아니어도, 예쁘거든요. 중간에 자갈도 있고, 게도 있고, 소라도 있습니다. 어떻게 보면 다이아몬드보다 재미있는 친구지요. 어쨌거나 저쨌거나 뒤돌아봤을 때 예쁘면 된 거 아니겠어요?

일단 못해도 지금 이 순간을 남겨두지 않으면 크게 후회하겠다 싶어 이 책을 쓰기 시작했습니다. 미래의 전민지가 즐겁게 읽어줬으면 좋겠습니다.

그리고 부디 그녀도 반짝반짝한 삶을 살고 있길 바라며. 웃음이 헤픈 그녀가 웃음을 잃지 않길 바라며.
이 책을 바칩니다.

2023.12.21.

18살의 전민지 씀.

#1 내 이야기

공방, 음악, 미술

내 인생 첫 번째 키워드

대체 공방이 뭐야?

어릴 적 공방에 다녔다. 나의 인생 일대기를 소개할 때, '공방'은 빠져서는 안 되는 존재이며 매우 특별한 장소이다. 공방하면 인형 공방이나 가구 공방처럼 무언가를 만드는 곳이라 생각하기 쉬운데, 나의 공방은 만들기에 집중된 곳은 아니다. 무엇인가를 만들 때도 있지만, 주로 그림을 그리는 활동을 했고, 행사를 연다거나 봉사활동을 해 그것을 나누었다. 이외에도 다양한 활동을 했는데 예를 들어, 글방을 열어 주기적으로 모여 글을 쓴다거나, 행사를 주최한다거나, 전시를 한다거나, 팟캐스트를 녹음한다거나, 같이 대형 버스를 빌려 역사탐방을 떠난다거나... 다른 친구들보다는 특별한 경험을 많이 할 수 있었다. 나는 8살때부터 공방에 다녔고 그때부터 줄곧 공방이라고 불렀기 때문에 나는 이 이후에도 계속 공방을 공방이라고 부를 것이다.

공방에 들어가기 전

공방은 특이한 곳이었다. 내가 공방에 다니기 시작한 나이는 초등학교 1학년으로, 거의 학교 입학과 동시에 공방에 들어갔다. 엄마는 내게 공방을 '그림을 그리는 곳'으로 설명해주셨다. 그림을 그리는 곳은 미술학원 아닌가? 공방은 뭐지? 생각했다. 나는 그때 아주 어렸고 공방의 널리 알려진 뜻조차 모르던 때였다.

엄마는 공방에 다니기 위해선 그림일기를 매일 써야 한다 하셨고, 나는 그림 그리는 것과 글쓰기를 좋아했기 때문에 흔쾌히 응했다. 책가방에도 안 들어갈 정도로 커다랗고 두꺼운 노트를 받았다. 엄마는 어릴 적 내가 하도 그림을 많이 그리니 사주신 50색 돌돌이 색연필중 하나를 골라 커다란 자를 대고 줄을 그어주셨다. 나는 그림을 그리고 일기를 썼다. 일기를 쓰기로 한 후 한동안은 엄마가 일기장에 줄을 그어주셨다.

공방에서의 첫째 날

할아버지의 가게 겸 집이 공방이 위치한 시내(중앙동)에 있었기 때문에 어린 시절의 나는 그쪽 일대를 자주 왔다 갔다 했는데, 공방의 위치는 자주 지나다니던 화장품 가게의 위 층이었다. 각종 아기자기한 그림이 붙어있고, 알록달록하게 벽이 칠해져 있지만 어두컴컴하고 좁았던 계단을 올라가면 생전 처음 보는 인형들이 잔뜩 있는 장소에 도착했다. 종류 구분 않고 온갖 곳에 장식된 예쁘고 특이한 인형들과, 벽화가 온 벽에 그려져 있고, 형형색색으로 칠해져있는 액자와 그림이 어릴 적의 나를 들뜨게 했다.

그러나 첫 수업을 시작한지 몇 분 되지 않아 나는 공방 선생님 앞에서 바로 눈물을 흘리게 된다. 바로 전에 공방에 다니기 위해선 일기를 매일 써야 한다고 했는데, 그때부터 게을렀던 나는 일기를 하루 밀렸던 것이다. 공방에 다니기로 하자마자 짤린다는 생각에 눈물부터 나왔다. 공방 선생님은 늘 또렷히 말하시고 삶에 자신이 있으신 분이시다. 그 자신감은 카리스마로 승화되어 느껴지는데 어리고 작았던 나에게 위압감이 장난 아니었다. (사실 선생님을 본지 거의 10년이 다 되어가는 지금도 피드백을 받을 땐 쪼금 무섭다.)

눈물은 속절없이 흘러내렸고 공방샘이 알아채기 전까지 그치려 했지만 훌쩍이는 소리만 더 크게 들릴 뿐이었다. 결국 들켰다. 선생님은 나를 그늘진 곳으로 데려가 왜 우는지 이유를 다정한 목소리로 물어보셨다. 하지만 어릴 적의 나는 울기만 하면 입을 닫아버리는 답답한 아이였다. 운 이유도 부끄럽기 짝이 없어서 한동안 입을 못 떼다가 겨우 사실을 털어놓았다. 흡, 사실, 일기를, 끅. 어제 못 써서...

선생님은 그런 거였냐며, 괜찮다고 다독여주시고는 함께 자리로 가 내가 일기쓰는 것을 도와주셨다. 그 날은 파스텔을 활용하여 그림을 그려보는 시간이었다. 선생님은 하늘색 파스텔을 꺼내들어 살살 둥글게 둥글게 원을 그리더니 뚝딱 구름 하나를 그렸다. 놀라웠다. 처음 보는 도구였고 호기심이 생겼다. 한 손엔 콧물을 닦을 휴지와 한 손엔 파스텔을 문지를 휴지를 들고 그림 그리길 시작했다. 기분이 한결 나아졌다. 이것이 나와 공방의 첫 기억이고 나는 아직도 파스텔을 보면 그 날의 눈물을 생각한다.

여수 글방

공방에서 한 귀중한 경험은 수도 없이 많다. 그 중에서도 지금 글을 쓰고 있다 보니 아무래도 '여수 글방'이 제일 먼저 생각난다. 내가 들어가기 전부터 이미 1년 정도 다른 언니들이 글방에 다니고 있었는데, 나이 때문에 못 들어가다가 들어갈 수 있는 나이가 되자 잽싸게 신청했다. 글쓰기라, 사실 그 당시엔 매일 쓰는 일기와 교과서 활동으로 하는 주장하는 글쓰기 따위 외엔 제대로 써본 적 없었다. 하지만 재밌어보였고, 큰 걱정없이 들어갔다.

그 때 내 나이 초3, 어느덧 공방 3년차! 이젠 공방이 집만큼 익숙했다. 어라, 그런데 왠지 그날따라 공방의 문이 열기 힘들 정도로 무거웠다. 간신히 떨리는 맘을 붙잡고 공방에 들어서니 소문의 슬아쌤이 계셨다. 나는 그 때 20대 초반의 여자를 마주할 일이 별로 없었고(아예 없던 건 아니겠지만 아마 내가 20대라고 인식하지 않았을 것이다.), 그것도 '서울에서 온' 20대 여자는 어쩐지 다른 세계의 사람 같았다. 수업시간 동안 공방에서 '글방'으로 호칭이 바뀌는 그 공간은 사실상 바뀐 것은 하나도 없었지만, 칠판의 보드마카를 쥔 사람이 동현샘에서 슬아샘이 되었다는 이유만으로 모든 게 바뀐 것 같았다. 침이 절로 꼴깍 넘어갔다.

처음 무슨 수업을 했는지는 기억이 잘 나지 않는다. 사실 벌써 5년이 넘게 지나서 그런지 모든 수업이 조각조각 기억난다. 단 글방에서 반복적으로 했던 두 가지 행위만큼은 또렷히 기억나는데, 첫 번째는 바로 매 수업 시간마다 슬아 샘이 모두에게 각각 근황을 물었던 것이다. 이것은 관례와도 같은 거였다. 슬아 샘은 서울 사람이라 그런진 몰라도 내가 열

살까지 마주한 사람 중 가장 나긋한 템포로 말하는 사람이셨다. 나는 근황을 말하는 것이 매 수업마다 떨렸는데, 내 차례가 뒷 순서면 속으로 안심을 하다가도 어느새 내 차례가 온 것에 매번 놀라곤 했다. 어딜 놀러갔어요, 시험을 쳤는데 망했어요 등의 사소한 근황에 한 마디씩 덧붙여주시는 코멘트가 다정했다. 근황토크는 안 하면 서운한, 엄연한 수업의 일부였다.

모든 사람의 근황을 듣고 나면 슬아 선생님의 근황 혹은 오늘 여기로 오기까지 무슨 일이 있었는지에 대한 이야기를 들었다. 슬아 선생님은 편안하고 천천히, 항상 웃음을 섞은 듯한 목소리로 말하셨다. 듣다보면 이야기에 흠뻑 빠져 듣게 되는데 이야기의 끝은 항상 오늘의 글감으로 향했다. 물 흐르듯 자연스러운 진행이셨다. 우리는 준비해주신 빵을 먹기는커녕 손으로 쪼물딱 거리다가 글쓰기를 할 준비를 했다. 참고로 여기서 빵을 쪼물거리는 것이 내가 글방에서 매일 했던 두 번째 행위이다. 이것도 마찬가지로 안 하면 서운했다. 같은 테이블에 앉은 다른 언니와 함께 키득거리며 빵을 가지고 놀았다.

내가 쓰고 싶은 글

처음 글을 쓸 때는 굉장히 수줍은 글을 썼다. 내 이야기를 솔직하게 꺼내는 게 글로 적어 내려가는 게 부끄러웠다. 다른 언니들이나 친구들은 잘만 자기 이야기를 늘어놓는데, 나는 내 이야기를 글로 묘사하는 게 마치 옷을 한 겹 한 겹 벗는 것만큼 쑥스러웠다.

글을 다 쓰고 나면 선생님께 가 첨삭을 받는다. 선생님은 글을 쭉 읽으며 맞춤법이 틀렸거나 띄어쓰기를 고쳐주셨고, 좋은 표현이나 마음에 드는 비유에 마치 수업시간 중요한 부분을 체크하듯 밑줄을 쳤다. 빨간 밑줄이 많을수록 기분이 좋았다. 내심 밑줄이 적으면 실망하기도 했다. 그래서 빨간 줄이 죽죽 그어진 부분이 많은 친구들이 부러웠다. 그들의 글을 힐긋 몰래 보다가, 모두의 첨삭이 끝나면 순서를 정해 낭독을 했다. 각자 나와 스탠드 마이크에 입을 대고 글을 읽으면, 피식 소리가 곳곳에서 들리는 매력적인 문장들이 있었다. 그게 너무 부러웠다. 나는 웃긴 글을 쓰고 싶었다.

웃긴 글을 쓰는 사람들의 특징을 분석했다. 첫째, 단어 선택을 신중히 할 것. 뻔한 건 재미없다. 공방엔 정말 독특하고 독창적인 친구들이 많아서, 글을 듣고만 있어도 재밌었다. 그리고 둘째. 자기 이야기를 할 것. 자신의 이야기를 하는 게 제일 재밌다는 걸 어느 순간에야 깨달았다. 그 이후부터는 재밌는 글을 쓰기 위해 부단히 노력했다. 하지만 단어 선택을 너무 과장해서 쓴다거나, 이해할 수 없는 비유를 늘여놓는다거나... 욕심만 있는 유머는 이도저도 아니라는 것도 깨닫게 되었다. 여러 시행착오 끝에... 웃긴 글을 쓰는지는 잘 모르겠지만, 더 이상 내 이야기를 하는 걸 주저하지 않게 됐다. 그랬더니 글 쓰는 게 재밌어졌고, 술술 쓸 수 있게 되었다. 그걸 깨달은 후 쓴 글을 낭독할 때 들려오던 그 피식 소리들... 나를 얼마나 짜릿하게 했는지 모른다.

벌써 몇 년이 지난 요즘도 종종 인스타에 글을 올리면 내 글이 좋다고 말해주는 친구들이 있다. 내 문장들을 좋아하는 사람을 만나는 것은 이 얼마나 행복한 일인가! 그 글방의 경험과, 나의 깨달음이 지금의 내 글들을 만들었다 생각한다. 참 소중한 경험이다. 절대 잊지 못할, 진정한 내 문장들의 시작. 글방에서의 추억은 여전히 내가 글을 쓸 때마다 자신감이 되어주며, 동기부여가 된다. 이 책을 쓰는데도 많은 도움을 받았다.

내 목소리가 이랬다고?

나의 하교 메이트 예슬과 서연이와 하교하는 길에, 목소리에 대한 이야기가 나왔다. 나는 갑자기 폰을 꺼내들어 팟빵을 켰다. 공방에서 팟캐스트를 진행해 본 적이 있는데, 그때 녹음해뒀던 파일이 아직 팟빵에 올라와있을 것 같아 갑자기 찾아보았다. 내 이름과 팟캐스트 이름인'여수별 통신'을 함께 검색하니 쉽게 찾을 수 있었고 나는 곧장 그걸 틀었다. 12살의 내 목소리가 길거리에서 울려 퍼졌다.

12살이라고 하면 기억도 제법 생생한 편이고 그렇게 오래된 과거라고 생각되지 않아서, 생각보다 별 다르지 않으면 어쩌려나, 그것도 그것 나름대로 신기하겠다- 생각하고 있었는데 듣자마자 양 옆에서 놀란 탄성이 터져나왔다. 12살의 나는 엄청 앳되고, 어리고, 높고, 모음 발음을 잘 못 하는 어린 아이의 목소리를 가지고 있었다. 이럴 수가…. 어릴 적 녹음을 할 때마다 발음이 잘 안 되어 스트레스를 많이 받긴 했다만 이 정도일 줄이야…. 지금은 다행히 제법 잘 말한다. 그때 공방 선생님께선 다른 팟캐스트 운영자들은 어떻게 말하는지를 잘 들어보라고 조언을 해주셨다. 나는 나의 흐린 발음과 빠지지 않는 콧소리가 너무 싫어서 한동안 아나운서 준비생을 위한 유튜브를 한창 찾아봤었다. 그렇게 열심히 노력하고 연구했더니 지금은 나름 라디오dj나 아나운서 해도 되겠다는 칭찬을 듣는 수준이 되었다. 어린 시절의 민지가 기특해서 눈물이 난다. 너의 노력 덕분에 지금 내가 발표 수행평가로 먹고 살아, 너의 노력은 헛되지 않았어… 하고 전해주고 싶었다.

최근 깨달은 것은 목소리가 주어지면 그 존재가 실존한다는 게 확 다가온다는 점이다. 마치 만화 캐릭터에 성우가 붙어 목소리가 주어졌을 때처럼, 오늘의 경험은 제법 새로운 기분을 느끼게 해줬다. 어렴풋한 기억으로만 남아있던 12살의 전민지의 목소리를 들으니… 12살의 내가 단순 과거가 아니라 살아있던 사람이라 느껴졌다. 어쩐지 소름이 돋기도 하고, 신기하고…. 아니, 물론 과거의 내가 있으니 지금의 나도 있는 거겠지만…. 아무튼 색다른 경험을 했다. 옆에서 열심히 호들갑과 놀라는 리액션을 해주었던 친구들도 그 기분에 한 몫 했다.

오늘 과거의 전민지 목소리 감상 시간을 통해 디지털 시대의 기록 매체를 애용해야겠다고 느꼈다. 많이 찍고, 많이 녹음하고, 많이 기록해야지… 클라우드라는 이 4차산업혁명이 제공한 최고급 창고를 꽉꽉 아주 알차게 채워 넣어야지 다짐했다. 그리고 이렇게 다양한 방법으로 어린 시절의 나를 되새김할 수 있게 해주신 공방 선생님께 다시 한번 감사드린다.

그리기, 그리기, 그리기

초등학교 때부터 지금까지, 내 취미 1순위는 단연 '그림그리기'다. 시도 때도 없이 그림을 그려왔다. 지금 내가 글을 쓰고 있는 책상 옆 책장에도 어릴 적부터 써온 그림 노트로 빼곡하게 차 있다. 아이패드를 산 중2 이후로는 디지털 드로잉의 맛을 알게 되면서 더 많이 그리기 시작했다. 현재의 나는 그림 없이 살 수 없다. '하루라도 그리지 않으면 손에 가시가 돋치는' 인간이 되어버렸다. 나는 언제부터 그리기를 사랑했나. 이 지독한 짝사랑은 기억나지도 않는 어린 시절부터 시작되었다.

온 벽에 낙서를 하고 다니던 그 아이는 커서 무엇이 되었나

어릴 때부터 색연필만 쥐어주면 혼자서도 끝내주게 잘 노는 아이가 바로 나였다. 종이는 필요없냐고? 필요없었다. 나에겐 벽이라는 커다란 스케치북이 사방에 있었기 때문이다. 벽을 가로질러 긴 선을 죽 긋기도 하고, 반짝이는 눈을 가진 예쁜 공주님을 그리기도 했다. 좀 머리가 커서는 좋아하는 애니메이션을 따라 그리기 시작했다. (이때부터 팬아트를 그리는 걸 보면 태생이 오타쿠였던 것 같다) 7살이 되었을 때는 런닝맨이라는 TV프로그램을 너무 좋아해서 출연자 분들을 그림으로 그렸다. 당시 싸이의 강남스타일이 엄청 유행했는데 그의 앨범 아트를 연필로 어설프게 따라 그린 그림은 친척 분들에게 엄청난 환호를 받았다. 이런 경험을 통해 나는 내가 그림을 잘 그린다고 자연스레 믿게 되었다.

엄마는 그림을 좋아하는 나를 보고 공방에 보냈고, 덕분에 나는 내가 미술 천재가 아니라는 걸 알게 되었다. 공방에는 그림을 잘그리는 언니 오빠들이 참 많았다. 그래도 굴하지 않고 계속 그림을 좋아했다. 미워지지가 않았다.

내가 공방에 처음 간 초등학교 1학년, 공방에선 12월 크리스마스를 맞아 진남상가를 공방 친구들의 그림으로 꾸미는 프로젝트를 했다. 선생님은 나를 포함한 몇몇 친구들의 그림을 현수막으로 뽑은 다음 우드락을 붙여 잘라서 전신대를 만들었다. 이 전신대는 진남상가 곳곳에 전시되었고 전신대를 볼 때마다 나의 자존감을 높아졌다. 사람들이 이 거리를 지나갈 때마다 내 그림을 본다는 건 상당히 설레고 짜릿한 일이었다. 그때는 사람들이 내 그림을 욕하거나 평가하리라곤 상상조차 못 했기에, 그저 기쁘고 뿌듯했다. 공방에서는 페이스페인팅 행사를 한다거나 크로키쇼를 여는 등 나의 그림을 남들 앞에 보여주는 경험을 자꾸 시켰다. 덕분에 나는 누군가 내 그림을 좋아해준 경험을 지속해서 해왔다. 겪을 땐 몰랐지만 지금 생각해보면 매우 귀중한 경험들이다. 아무리 자신이 그림 그리기를 좋아한다 해도, 다른 사람의 반응 없이는 언젠간 질리고 만다. 나는 공방에서 계속 내 그림에 대한 반응을 볼 수 있었기 때문에 아직도 그림을 그리고 있나보다. 참 감사하다.

공방의 화가 수업

공방 선생님은 가끔씩 우리에게 화가들을 소개시켜 주셨다. 나눠주시는 A4지에는 작가의 작품과 설명이 적혀 있고, 선생님은 그에 덧붙혀 여러 이야기를 해주셨다. 기억에 나는 화가들은 피터 코르넬리스 몬드리안과 바실리 칸딘스키, 앙리 마티스, 이중섭, 잭슨 폴록, 르네상스 3대 화가인 레오나르도 다빈치, 부오나르티 미켈란젤로, 산치오 라파엘로, 앤디 워홀, 마크 로스코 등이 있다. 지금 되돌아보면 정말 미술사에 있어 절대 빼먹을 수 없는 대단한 거장들이다. 어릴 때의 나는 그걸 알리가 없었고 단지 선생님의 이야기가 재밌어서 열심히 수업을 들었다. 배경지식이 있어서 그런지 커서도 다른 애들에 비해 미술사에 계속 관심을 갖게 됐다.

선생님의 화가 이야기를 듣고 나면 우리는 꼭 화가 이름을 외워야 했다. 그것도 풀 네임을. 풀네임을 딱 읊어줘야 멋이 산다고. 몬드리안의 본명은 피터 코르넬리스 몬드리안으로 우리는 이걸 그의 이름을 한 글자씩 올려 부르며 여러 번 반복하는 방법으로 외웠다. 그때의 기억이 강렬하게 남아있어서 그런지 나는 이 차가운 추상의 대가의 풀네임을 자다가도 깨서 읊을 수 있다. 막상 외울 때는 별 생각없이 게임처럼 외웠었는데 거의 초2때 외웠던 것을 지금까지 외우고 있다는 게 참 신기하다. 이 조기교육은 후에 커서 내가 미술사에 관심을 쉽게 가지게 되는 발판이 되었다.

이때부터였을지도 몰라

수업의 마지막에는 선생님이 나누어주신 프린트 속 사진을 잘라 공방에 있는 각종 색지에 조합한 후 느낀 점과 함께 보고서를 썼다. 물론 느낀 점도 중요하지만 우리는 이 사진을 어떻게 붙여야 할지부터 고심해서 정해야 했다. 나중에 모두의 보고서를 한 책상에 쫙 깔아두고 보고서의 레이아웃을 어떻게 잡았는지 선생님이 확인하셨기 때문이다. 각 모서리 여백은 0.5cm 정도 둘 것, 의도하고 꺾은 게 아니라면 반듯하게 사진을 붙일 것, 풀이 덜 묻어 사진의 모서리가 뜨지 않게 할 것... 이 외에도 몇 가지가 있었는데 그때 꾸중을 들으며 익혔던 습관이 지금의 디자인 센스가 되어주었다. 가끔 그렇게 모두의 그림이나 보고서를 책상에 쫙 까는데 이게 진짜 떨린다. 모두가 내 그림을 평가하는 기분이다. 근데 선생님이 거기서 내 그림을 칭찬하면 또 그게 그렇게 기쁠 수가 없다.

약간의 센스가 생기고 다른 애들보다 칭찬을 받는 빈도가 늘었을 때는 (기분 탓일 수도 있다) 레이아웃을 디자인하는 게 즐거워졌다. 이때부터였을지도 몰라, 내가 미래에 시각디자인과를 꿈꾸게 된 건...

미술관에 가고 싶어

공방에서 조기 교육도 받았겠다, 나는 미술사에 점점 눈독을 들이게 되었다. 생전 처음 들어보는 낯선 곳의 역사를 보는 것보다 한 번이라도 가본, 익숙한 장소의 역사를 듣는 게 훨씬 기억에도 잘 남고 재밌는 것처럼 미술사는 아는 게 많아질수록 더 빠져들게 되는 매력이 있다. 중학교 때는 줄창 소설만 읽었었는데 고등학교에 와서는 긴 시간 집중해서 책을 읽을 시간이 별로 없기도 했고, 잡학지식에 대한 열망이 점점 강해져서 온갖 분야의 교양 서적을 읽기 시작했다. (안타깝지만 끝까지 읽은 책은 별로 없다) 교양 미술 서적도 재밌는 게 은근 많아서 이것저것 여러 권을 맛보았다. 처음 꽂힌 건 유럽의 왕실 초상화. 풍성하고 화려한 색감의 그림이었다. 세계사 책에서 몇 번 본 인물들도 있어서 재밌었고, 역사와 함께 얘기하다보니 하나의 이야기처럼 다가왔다.

미술 작품에 흥미를 가지는 것에 넘어서 직접 보고 싶다는 열망이 생기게 된 계기는, 국립중앙박물관에서 열린 '합스부르크 600년: 매혹의 걸작들' 전시를 알게 된 후부터였다. 약간의 배경지식이 쌓인 상태에서 벨라스케스나 여러 유명 유럽 인물들의 그림을 볼 수 있다는 점이 날 설레게 했다. 두 번의 시도 끝에 전시를 볼 수 있었고, 결과는 대만족이었다. 특히 마리 앙투아네트의 거대한 초상화가 기억에 남는다. 손바닥만한 사이즈의 책속 그림과는 차원이 달랐다. 그때부터 유럽 여행을 꿈꾸기 시작했다. 모네의 붓질과, 로댕의 자국을 느끼고 싶었다. 머리를 치켜들고, 입을 헤 벌린 채로 미켈란젤로의 천장화를 감상하고 싶었다.

꼭 나는 대학생이 되면 서유럽으로 떠날 것이다. 아르바이트를 해서 돈을 바짝 벌어둬야지. 휴학계를 내서 여유롭게 여행하고 싶다. 그러니까 미리미리 공부해둬야지. 현주와 함께 미술관 여행을 가기로 했으니까, 현주에게 재밌게 미술 이야기를 해줄 수 있도록 꼼꼼히 공부해둬야겠다.

미술을 진로로

초등학교때 나의 꿈은 일러스트레이터. 그 전까진 화가였는데, 일러스트레이터라는 직업을 알게 된 후부터 줄곧 내 꿈은 일러스트레이터였다. 어릴 땐 당연히 그림으로 먹고 살 생각이었다. 그러나 중1, 공방의 다른 몇몇 언니들이 예고 입시를 준비하기 위해 급하게 시작한 소묘 특강에 참여했다가 너무 힘들어서 입시미술을 포기했다. 미술은 취미로 하기로 하고 학교 선생님과 문화 콘텐츠 마케터 등 다양한 직업을 꿈꿨다. 그 상태로 고등학교에 입학했다.

나는 내가 정신이 나간 줄 알았다. 공부를 할 시간에 시도 때도 없이 그림을 그렸다. 에라이. 이럴 바엔 차라리 미술로 밥 벌어먹고 살자는 생각이 들어서 부모님께 조심스럽게 입시미술을 하고 싶다고 말씀드렸다. 워낙 어릴 적부터 내가 그림그리길 좋아한 걸 알고 계셨고, 내가 공부하고 있나 감시하러 오실 때마다 내가 그림을 그리고 있던 터라 그렇게 놀란 눈치는 아니셨다. (아닌가...) 현재 입시미술을 한지 1년이 되었다. 생각만큼 힘들지는 않고 재밌는 것도 많다. 이제 고3이 되니, 또 어떨런진 모르겠다. 그 악명높은 고3의 미술입시... 하나 확실한 것은, 아직까진 후회하지 않는다. 일단 공부만 하는 것보단 훨씬 행복하고 즐겁다. 뭐, 그러면 된 거 아니겠나. 돈이 많이 드는 것은 부모님께 죄송하지만...

번외) 여수여고 마스코트 제작기

여수여고는 매년 여주제라는 축제가 학년 말에 열린다. 올해는 담당 선생님이 바뀌어서 처음으로 축제의 마스코트를 만들기로 했다. 마스코트는 학생 공모전을 열어 작품을 받고, 학생들의 투표를 통해 마스코트를 선정했다. 나는 문화체육부 부장이라 축제 관련된 내용을 다른 친구들보다 먼저 들을 수 있었는데, 이 공모전 소식을 듣자마자 필이 찌르르 왔다. 이건 내 거다. 나는 곧바로 노트를 꺼내들어 아이디어를 마구 짜내기 시작했다

우선 마스코트는 '여주'라는 이름과 관련이 있어야 했다. 나는 여주의 초성인 ㅇㅈ을 떠올렸고, 이를 세로로 나란히 하면 똥머리와 리본처럼 연출할 수 있겠다는 생각이 퍼뜩 들었다.

초반 스케치답게 찌그러졌고 투박하다. 순식간에 아이디어가 떠올라 휘리릭 그렸기 때문.

마스코트를 제출하려면 두 개의 캐릭터를 그려냈어야 했는데, 한 명이 인간의 형상을 띄고 있으니 동물을 참고한 미니 캐릭터가 들어가면 좋겠다 생각했다. 그래서 떠올린 것이 여수여고의 로고. 이를 어떻게 활용할까 고민하다가 로고를 뒤집으면 파란 원 두 개가 마치 쥐의 귀와 닮았다는 생각이 들었다. 그렇게 쥐를 모티브로 한 캐릭터를 만들었다. 이름도 '여주'를 연상시키면 좋겠어서, 여와 주를 돌림자로 하면 하나의 세트 같고 좋을 것 같았다. 작명엔 자신이 없었어서 친구들에게

도움을 청했다. 온갖 후보가 나왔다. 여음, 주음, 여울, 주울 등… 주님도 나왔다. 이 외에도 여러 글자를 붙여본 다음 랑 돌림자가 가장 귀엽고 잘 어울리는 것 같아 채택했다. 여랑, 주랑으로. '너랑 나랑'같은 느낌을 주어 깜찍하고, 각각 '여주의 사랑', '여주의 자랑' 으로 내포된 의미까지 정했다. 좀 더 사람같은 이름인 여랑을 리본 달린 친구에게, 귀여운 느낌인 주랑을 쥐에게 주었다. 이름을 짓자마자 미스코트에게 애정이 급격히 생겼다.

선을 깨끗이 다듬고, 색을 예쁘게 칠하고 여랑이에게 교복을 입혔다. 간소한 차이로 여랑 주랑이 마스코트로 뽑혔다고 했다. 작년 같은 반 친한 친구였던 은희가, 자신은 주랑이 너무 마음에 들어서 다른 친구들에게 투표를 강매했다고 했다. 그런데 내 건 줄은 몰랐다고 했다. 감동이었다. 기분이 너무 좋았다. 비록 은희는 쥐인 주랑을 계속 여우라 우겼지만, 누군가 내가 만든 캐릭터를 좋아해주고 덕질한다는 게 믿기지 않았다. 담당 선생님께서도 여랑주랑이를 박수치며 칭찬해주셨다. 부끄럽고 기뻤다. 캐릭터 디자인에도 관심이 생겼다.

여랑주랑이가 마스코트인 만큼, 여랑이와 주랑이로 키링도 뽑고 팜플렛, 배너와 현수막에도 들어갔다. 그래서 문예부 부장인 선주와 함께 머리를 맞대고 팜플렛도 디자인했다. 총 디자인은 주로 선주가 했고 나는 피드백과 그 안에 들어갈 여랑주랑의 다른 버전을 그려냈다.

팜플렛을 기반으로 배너도 제작했다. 만들 때는 생각만큼 예쁘게 안 나오기도 하고 시험기간이라 힘들었는데, 막상 저렇게 인쇄한 걸 보니 뿌듯했다 전공 체험 해보는 기분이라 재밌었다.

나의 음악 사랑사史

헤드폰 영접기

중학교 2학년, 15년 인생 처음으로 격렬하게 가지고 싶은 물건이 생겼다.

2020년, 에어팟 대유행 시대. 나는 유행을 따라가고 싶진 않았으나 무선의 편리함은 누리고 싶었다. 그때 불현듯 몇 달 전 sns에서 본 BOSE qc35 2가 떠올랐다. 이 헤드폰은 블루투스도 되고, 유선으로도 사용이 가능하며 무엇보다 오랜 시간 지속되는 편안한 착용감으로 유명했다. 안경잡이인 데다 오랜 시간 음악을 들을 일이 많았던 나에게 찰떡인 제품이었다. 베이스를 잘 잡는 보스 사의 특징도 마음에 들었다.

나는 아빠에게 헤드폰을 사달라고 징징댔고, 그는 두 가지 선택지를 내밀었다. 핸드폰, 헤드폰. 둘 중에 골라. 나는 그때 엄마가 물려준 삼성 s7을 쓰고 있었다. 살면서 최신형 핸드폰을 가져 본 적이 없었다. 물론

s8이 싫은 건 아니었지만 항상 누군가에게 물려받은 핸드폰을 썼다. 새로 사주신 폰은 예쁜 핸드폰 케이스 찾기가 하늘의 별 따기만큼 어려운 보급형 기종이었다. 차마 말로 내색하진 않았지만 어릴 때부터 좋은 폰을 쓰는 친구들을 보면 부러워하긴 했다. 아빠는 내가 헤드폰을 오래 쓰지 않을 거라 생각했는지, 내가 헤드폰을 사달라고 아빠는 그제서야 최신형 핸드폰을 사주겠다며 제안을 한 것 같다. 거의 다섯 배가 넘는 가격 차가 났다. 나는 깊은 고민에 빠졌다. 주변 친구들에게도 여러 번 물어보고 다녔다. 대부분 핸드폰을 선택했다. 그들의 말을 듣고 나는 마음이 굳어졌다. 헤드폰을 사기로. 모두가 핸드폰을 사라고 이야기하는데도 헤드폰을 사고 싶다는 마음이 자꾸 스멀스멀 피어오르니, 이미 내 마음은 헤드폰을 향해 있구나 깨달았다. 결국 원가보다 조금 싸게 직구를 해서 헤드폰을 샀다. 나는 어느새 이걸 4년째 쓰고 있다.

집에 돌아오자마자, 내 책상 위에는 모퉁이가 약간 찌그러진 상자 하나가 올려져 있었다. 드디어 왔구나! 나는 감격에 차서 선불리 상자를 뜯어보지도 못 했다. 무언가가 이렇게 갖고 싶었던 적이 처음이었다. 직구라서 그런지 약간 구겨진 상태의 상자를 칼로 조심히 뜯어내고 드디어 나의 보스 헤드폰과 영접했다. 고급스러운 무광의 검은색 헤드폰. 상자가 어떻든 아무 상관이 없었다. 물건만 좋으면 되지! 그 날 처음으로 인스타그램에 '자랑'이란 걸 해봤다.

헤드폰을 쓴 소녀

헤드폰을 산 가장 근본적인 이유는 남들과 다르고 싶다는 욕심이었다. 개나 소나 쓰는 에어팟보다, 음질도 훨씬 좋은 헤드폰이 낫지. 간지도 나고. 하지만 막상 헤드폰을 사고 나니 밖에서 쓰는 게 망설여졌다. 애플의 헤드폰 에어팟 맥스가 출시되면서부터 다른 헤드폰들도 각광을 받기 시작했고, 때문에 지금 거리에서는 헤드폰을 쓰는 사람들이 종종 보인다. 하지만 그때는 맥스가 출시되기 몇 주 전. 거리에서 헤드폰을 쓰는 사람은 매우 드물었다. 나는 이 멋지고 아름다운 보스 헤드폰을 자랑하고 싶으면서도, 나를 수상한 오타쿠로 본다거나 (맞긴 하다) 힙찔이[1]로 볼까봐 두려웠다. (사실 이쪽도 거의 맞다) 그래서 처음 헤드폰을 밖에서 착용한 곳은... 사람이 별로 없는 뒷골목. 뒷골목에서 마음의 준비를 한 뒤 천천히 번화가 쪽으로 걸어갔다. 노이즈 캔슬링이 너무 잘 돼서 교통사고 당할 뻔 했다는 후기를 본 뒤로 평소보다 유난스럽게 주변을 두리번거렸다. 모든 차가 나를 향해 돌진할 것 같은 기분이었다. 다행히 그런 일은 일어나지 않았고 무사히 집으로 들어왔다. 확실히 처음이 어렵지 다음부터는 당당하게 헤드폰을 끼고 걸었다. 몇몇 사람들이 나를 쳐다보는 것 같은 착각은 지속되었지만 그마저도 에어팟 맥스의 출시 이후 사그라들었다. 에어팟 맥스의 출시는 나의 부끄러움을 허물어줌과 동시에 홍대병[2]을 완치시켰다.

---

1) 힙합+찌질이의 준말로, 주로 힙합에 대해서 잘 알지도 못하면서 힙합에 대한 우월성을 느끼는 사람들을 뜻함.
2) 대중적인 컨텐츠를 혐오하며 아무도 잘 모르는 가수나 배우를 자신만이 좋아하는듯한 착각에 빠져사는 병을 뜻함. 인디씬이 활발한 홍대의 특징에서 따온 말.

헤드폰을 쓰는 이유

헤드폰은 장단점이 뚜렷한 친구다. 노이즈캔슬링과 음질은 여느 무선 이어폰보다 압도적으로 좋다. 또한 위에서 언급했듯 보스 헤드폰은 웬만큼 착용해도 귀가 아프거나 하지 않았다. 요새는 이 편안함에 익숙해져서 이어폰은 끼지도 못 하겠더라. 겨울에는 따뜻해서 귀마개 대용으로 딱이다. 반면에 그만큼 여름에 덥다는 단점이 있다. 부피도 무선 이어폰보다 훨씬 크기 때문에 멀리서 봐도 헤드폰을 꼈다는 걸 알 수 있다. 즉 몰래 노래를 들을 수 없다는 뜻이다. 가끔 몰래 음악을 듣고 싶을 때 매우 불편하지만 그래도 아직까진 참고 쓰고 있다.

무엇보다 가장 매력적인 점은 소리를 크게 틀면 틀수록 도파민이 폭발한다는 점이다. 나는 평소에는 적당히 바깥 소리가 들릴 정도의 크기로 듣는다. 청력이 걱정되기도 하고, 너무 소리를 크게 틀면 나중에 귀가 웅웅거려서 오래 들을 수 없기 때문이다. 하지만 가끔 그런 날이 있다. 음악으로 위로받고 싶은 날. 가슴이 축축하게 젖은 것 같은 날. 나는 그럴 때 전자음이 가득 요동치는 EDM이나 에이브릴 라빈, 그린데이의 노래를 듣는다. 징징거리는 일렉기타와 휘몰아치는 드럼, 그리고 내 귓바퀴까지 감싸 안는 베이스 소리까지. 고작 귀를 몇 가지 진동으로 간지럽히는 것뿐인데 온몸에 짜릿함이 감돈다. 소리를 높일수록 바깥과 나는 분리된다. 내 시야는 그 노래로 가득 칠해진다. 어떤 날은 오렌지색, 어떤 날은 핫핑크색. 그 순간동안은 시력이 한 단계 낮아지고 그만큼 청력이 한 단계 높아진다. 예능 프로그램에서 종종 침묵속의 외침이라고 해서 헤드폰을 쓰고 입 모양으로 단어를 맞추는 게임인데, 헤드폰을 쓴 참

가자들은 아무리 악을 질러도 못 듣는다. 그 정도로 바깥 소리가 들리지 않는다. 이 감각을 어디에서나 느낄 수 있다는 정말 소중한 기쁨이다. 하지만 내가 이 감각에 무뎌질까봐, 이 달콤한 짜릿함은 아껴둔다. 음악이 나를 위로하는데 지치지 않도록.

음악을 사랑하게 된 까닭

나는 음악을 사랑하고 오래 좋아해왔다. 음악 없이는 하루도 살 수 없다. 아침에 일어나 음악을 듣고 이동할 때도 음악을 듣고 음악이 들을 수 없을 때엔 직접 음악을 흥얼거린다. 장르도 가리지 않는다. 이렇게 내가 음악에 미친 여자가 된 이유는 성장 과정에서 쉽게 찾을 수 있다. 우선 내가 졸업한 여수북초등학교. 우리 학교는 아주 음악친화적인 학교다. 1~2학년때는 피아노와 오카리나를 가르치며 계이름과 박자감각을 가르치고, 3학년부터는 본격적으로 오케스트라 부원이 된다. 내가 1~2학년일 때는 7-8교시 동안 돌봄교실을 했는데 바로 옆 교실에서 오케스트라 합주를 했다. 몇 개월만 지나면 내가 그 웅장한 울림 속에 있을 거라는 사실은 나를 들뜨게 했다. 친했던 혜인이언니에게 오케스트라에 대해 이것저것 물어보다가 색소폰을 하라고 추천받았고 나는 그렇게 색소폰 파트로 지정되었다.

축! 오케스트라 입단

색소폰이라는 악기는 다른 오케스트라의 관악기 중에선 유명한 편이다. 재즈나 트로트 등에서도 맛깔남을 더해주는 색소폰은 사실 원래 오케스트라에선 쓰이지 않는다. 우리 학교는 윈드오케스트라라고 해서 현악기가 없고 관악기만 있는 오케스트라라서 색소폰이 있었다. 알토색소폰, 테너색소폰, 바리톤 색소폰이 있었고 알토 색소폰은 퍼스트와 세컨, 가끔은 서드까지 있었다. 주로 6학년의 알토 색소폰 퍼스트가 파트장을 맡았다.

내가 3학년일 때는 색소폰 선생님이 따로 없어서 트럼본이었나 트럼펫 선생님이 색소폰까지 함께 가르치셨다. 간단하게 조립법을 배우고 앉아 있는데 옆에 앉은 언니오빠들이 선생님께 재미있는 얘기를 해달라며 선생님을 보채자 못 이기는 척 무서운 이야기를 해주셨던 게 기억이 난다.

4년간의 오케스트라 생활은 재밌었다. 내가 4학년일 때부터 5학년일 때까지는 클라리넷과 함께 수업을 들었는데, 다른 악기에 비해 우리는 빠르게 곡을 익히는 편이라서 늘 시간이 남았다. 우리는 그럴 때마다 선생님께 넌센스 퀴즈를 내달라고 떼를 썼다.

4학년 때는 여수북초에 체육관이 생겼다. 체육관 아래 합주실과 급식실도 생겼다. 그때부터는 쾌적하고 넓은 합주실에서 계속 연습했는데, 좋은 기회로 광화문 광장에서 연주를 한 적도 있었다. 그 기억은 떨리는 발표가 있을 때마다 '그래, 내가 광화문 무대에도 선 적이 있는데 요깟 무대가 두려워?'하며 마인드 컨트롤의 좋은 도구가 되어 줬다.

맹렬하게 지휘를 쳐다보며 서로의 소리를 맞추는 것은 큰 쾌감을 주는 일이다. 연주할 때는 몰입하여 아무 생각이 안 드는데, 합주가 끝나고 나면 '해냈다.'하는 성취감이 장난 아니다. 음악을 단순 듣는 걸 넘어 직접 만들어낼 수 있는 게 오케스트라의 매혹적인 점이다. 나는 그 맛을 잊지 못해 중학교도 오케스트라가 있는 곳으로 갔다.

오보에와의 만남

내가 선택한 학교는 화양중학교. 초등학교와 다르게 관현악 정통 오케스트라가 있는 곳이다. 그말인즉슨 내가 4년동안 연주해온 색소폰을 중학교에선 불 수 없다는 것이었다. 나는 그때 처음으로 경력단절의 허무함을 느꼈다. 악기 희망 조사를 했는데 학기 말에 클라리넷을 한달 정도 배웠던 게 생각이 나 클라리넷을 골랐다. 하필 입학생 중에 클라리넷을 초등학교 때부터 해온 친구가 있어 나는 떨어졌다. 음악 선생님께서는 내게 오보에라는 악기를 추천해주셨다.

오보에는 클라리넷과 비슷하게 생겼지만 더 얇고, 길쭉한 겹리드가 삐쭉 튀어나온 형태이다. 소리는 클라리넷과 태평소의 중간? 뭉뚝한 고음과 튀는 음색이 매력적인 악기이다. 난 처음에 이 음색이 마음에 안 들었다. 색소폰은 알다시피 진득하고 농후한, 재즈에 어울리는 쨍한 소리를 가진 악기이다. 그래서 난 클라리넷의 부드러움을 동경했다. 잔잔하고 포근포근한 음색이 정말 좋았다. 그러나 나는 오보에가 되었다. 같은 방을 쓰던 룸메이트 언니가 색소폰보다 더 음색이 특이한 놈을 만났네, 하며 비웃었다. 심지어 오보에는 새끼손가락 손톱을 옆에서 본 정도의 구멍에 숨을 불어넣어 소리를 내기 때문에 소리내는 것도 힘들기로 유명했다. 일주일간은 겹리드 하나만 손에 들고 하루종일 빽빽거렸다. 불어넣는 숨에 비해 들어가는 구멍은 작아서 종종 두피를 송곳으로 찔리는 듯한 두통이 일었다. 오보에와 친해지기는 참 어려웠다.

하지만 오보에는 약간 관종끼가 있는 친구들에게 안성맞춤인 악기다. 관현악기중 가장 음정 이탈 폭이 낮기 때문에 오케스트라 악기의 튜닝기 역할을 하기 때문이다. 오보에가 먼저 A음을 불면, 나머지 악기들이 그 소리에 맞춰 튜닝을 하는 식이다. 음색도 독특해서 솔로도 더러 있었다. 1학년 아기 시절 어쩌다보니 축제때 거의 오보에 독주곡인 'Gabriel's Oboe'를 연주했는데 떨리기도 떨리지만 솔직히 재밌었다. 맞다. 나는 관심받는 걸 꽤 좋아해서 이런 솔로가 나오면 싫은 척하면서도 속으로 좋아한다. 하지만 이건 모든 오케스트라 파트들이 다 그럴걸?

오보에를 연주하다보면 오케스트라에서 오보에가 가장 먼저 들린다. 반갑고, 정이 든다. 옛날엔 클라리넷 소리인 줄 알았던 소리가 오보에였던 적도 있다. 가령, 꿈빛파티시엘의 bgm들이라거나. (사실 중학교땐 오보에다 생각했는데 또 지금 들으면 클라리넷 같기도 하다) 아무튼 이제 누가 뭐라해도 오케스트라의 최애 악기는 오보에가 됐다.. 나중에 기회가 된다면 악기를 사서 다시 연주해보고 싶다. 오보에야, 내가 많이 좋아한다.

#2 모르는 사람 이야기

나의 그이

나의 그이

제목에서 짐작했다시피 이 글은 내가 사랑하는 사람에 대해 쓰는 글이다. 하지만 애석하게도 나는 현재 성애적으로 호감을 느끼는 사람이 없다. 사실 지금까지 한번도 없었다. 이상하다. 나는 내가 초등학교때만 해도 낭랑 18세가 되면 지나가다가 잘생긴 남자와 부딪히고 그렇게 사랑에 빠지게 될 줄 알았다. 하지만 현재 나는 학생회와 입시와 공부에 치여 애인은 커녕 짝사랑 조차 못 해보고 있다.

그렇기 때문에 오늘은 내가 사랑하고픈 사람, 즉 이상형에 대해 이야기 해보겠다. 굳이 이상형에 대해서 쓰는 이유는 오늘 학교가 끝나고 같은 반 친구 나연이에게 글감 좀 던져달라 했더니 이상형이 뭔지 아주 자세하고 길게 써달라고 했기 때문이다. 또한 나는 이 책을 나중에 손주들한테까지 읽어줄 건데 미래 나의 동반자가 현재의 이상형과 부합하는지

비교해보는 것도 재밌을 것 같다. 예전에 어떤 책에서 한 여자가 자신의 매우 구체적인 이상형을 주변인들에게 말하고 다녔는데 너무 구체적이라 모두들 안 될 거라 했지만 결국 몇 년 뒤 그에 완벽히 적합한 사람을 만나 결혼했다-는 이야기를 들은 적이 있다. 그러니까 더 신나서 이상형에 대해 적었다. 거기다 나는 이상형이 제법 확고한 사람이기 때문에 나의 그이에 대해 적는 것은 전혀 어렵지 않았다.

우선 나의 가장 첫 번째 조건은 겸손한 사람일 것이다. 털어놓고 말하자면 나의 이상형은 내가 되고 싶은 인물과도 맞닿아있다. 가진 것을 잘난 체하지 않을 것. 자신에게 주어진 것에 감사한 마음을 가지고 정진하는 사람. 이기적인 사람은 싫다. 그렇다고 자기가 가진 것을 다 기부하고 가난하게 사는 정도는 부담스럽고, 자기 밥그릇은 잘 챙기는 사람이어야 한다. 적어도 반 공기는 챙겨 먹어야 한다. 자기의 모든 것을 내어주면서까지 남을 돕는 사람은 약간 부담스럽다.

두 번째 조건은 이야기 보따리였으면 좋겠다. 나는 항상 지식에 고파있는 사람이라, 늘 새로운 이야기를 갈망한다. 가끔 친구들에게 미래 내 동반자는 과학 선생님이나 역사 선생님이면 좋겠다는 말을 하곤 한다. 나는 호기심이 많은 편인데 기억력이 좋지 않아서, 내가 똑같은 질문을 계속 하더라도 나를 사랑하기 때문에 계속 친절하게 답해주는 사람이었으면 좋겠다. (지금 생각해보면 한 5살배기 아이가 부모에게 왜? 공격세례를 하는 것과 뭐가 다른지 모르겠다) 특히 나는 어릴 적 역사탐방을 자주 다녔는데, 그때 듣는 이야기가 그렇게 재밌을 수가 없었다. 역사 선생님과 결혼한다면 그와 함께 떠나는 모든 여행이 역사 탐방처럼 되지 않을까?! 사실 이것 또한 내가 바라는 모습이다. 여행을 갈 때마다 미리 조사하고 그 곳의 이야기를 알아둬서 함께 간 사람에게 이것저것 소개해주는 모습. 지금까지 해본 적은 없지만. 아무튼 한 침대에 누워서 매일 밤마다 나만을 위해 '벌거벗은 세계사'나 '어쩌다 어른'같은 얘기를 해주면 매일 밤이 즐거울 것 같다...(이것 또한 다시 생각해보니 아이를 눕혀두고 그림책을 읽어주는 부모 같다...) 그러니 자신이 이야기하는 걸 싫어하지 않았으면 좋겠다. 나를 위해 열정적으로 조잘댈 수 있는 사람을 원한다.

또 어떤 게 있을까? 웃는 게 예쁜 사람이면 좋을 것 같다. 잘 웃지 않는 친구를 웃기는 것은 가슴을 울리는 쾌감을 주지만 나는 그렇게 너그러운 사람이 아니기 때문에 내가 던지는 실없는 농담에 잘 웃어줬으면 좋겠다. 해사하게 웃는 사람. 나이를 먹어서도 아이같이 맑고 순수한 웃음을 잃지 않은 사람.

외적으로 나의 유구한 취향은 안경과 셔츠, 단발이다. 안경은 동그란 얇은테 혹은 요새 유행한다는 검은 색 뿔테로 상상 중이다. 투명테는 현재 내가 착용하고 있기 때문에 컨셉이 겹쳐서 곤란하다. (미래엔 바뀔 수 있지만) 셔츠는 정말 내가 가장 좋아하는 옷이다. 체크 셔츠든, 하와이안 셔츠든, 단정한 셔츠든 각자의 매력이 있다. 하늘색 셔츠에 베이지색 반바지가 잘 어울리는 사람이면 좋겠다. 단발은 남녀 모두 해당되긴 하는데, 단발머리를 한 역사 선생님이나 과학 선생님은 좀 부담스럽긴 하지만. 그리고 얇은 입술. 아빠를 닮아 내 입술은 오동통한 편인데 그래서인지 어릴 때부터 입술이 얇은 사람을 부러워했다. 안경을 쓰고 단발을 하고 입술이 얇은 여자 친구들은 대부분 내가 많이 좋아했던 친구들이다.

내가 미래에 남자를 만날지 여자를 만날지 정확치 않아서 지금껏 동반자라는 표현을 썼다. 엄마가 이 문장을 보고 한숨을 내쉴지도 모르지만 나는 지금껏 제대로 사랑을 해 본 적이 없는 만큼 확신이 없는 상태다. 일단 남자를 좋아할 것 같긴 한데 혹시 모르는 거니까. 혹은 그 외의 성일 수도... 음, 성에 관련된 건 너무 복잡하니까 여기까지만 이야기하겠다.

나의 이상형과 비슷하든, 아님 전혀 다른 사람이든 미래의 동반자 씨, 잘 보고 계신가요? 분명 당신의 옆에 민망해하며 앉아 있는 제가 있을 테죠. 걔 좀 잘 부탁해요. 18살의 저는 아직 '뭘 모르는 애'니까, 비슷하지 않더라도 속상해하지 말아요. 저는 미래의 전민지가 저보다 더 좋은 선택을 할 거라 믿으니까요.

만약 전민지, 네가 혼자라면... 그럴 수 있지. 힘내라.

#3 아는 사람 이야기

내가 아는 사람 얘기해줄게….

내가 아는 사람 얘기해줄게…

책 쓰기 프로젝트에 참여할 때, 나 외에 대부분이 소설을 선택했길래 놀랐다. 소설보다 에세이가 쉽지 않나? 나는 틈나는 대로 수필을 빙자한 일기를 많이 썼어서 에세이가 훨씬 쉬울 거라 생각했다. 하지만 에세이도 마냥 쉬운 건 아니더라. 물론 플롯을 짜고 인물마다 다른 특색을 내비쳐야 하는 소설도 어렵지만, 에세이는 뭐랄까... 계속 해서 내 얘기만 늘어놓다 보니 내 얘기를 너무 너무 잘 들어주는 친구가 내 앞에서 끝도 없이 고개를 끄덕여주고 나는 신나서 입을 계속 나불대는 기분이다. 이야기를 하다보면 자꾸 내 과거를 뒤집어 보게 되는데 이 일을 계속 하는 것도 쉽지 않다. 그래서 이번엔 내 주변 사람들의 이야기를 해 보려 한다. 첫 번째 인연은 바로 고등학교 2학년 반에 입성하고 처음 사귄 짝꿍 강서진이다. 마침 방금 하교하기 직전 그녀의 편지를 이 책에 실어도 된다는 허락을 받았기에 잽싸게 그녀에 대해 써내려 가려 한다.

서진이

서진이에 대해 설명하자면 서진이는 내가 열여덟 살에 만난 소중한 인연중 하나이다. 같이 2-1반이 되어, 첫 짝꿍이 되었다. 그녀의 첫인상을 간단히 말하자면 키가 크고 눈이 예쁜, 피부가 살짝 어두운 여자애였다. 화장을 하고 왔었던 것 같은데, 나는 화장을 한 여자아이들을 보면 혹시나 노는 무리일까 하는 편견이 있어서 아주 살짝 무서워했다.

그녀와 두 번 정도 짝꿍을 같이 했고, 미술 수행평가를 한답시고 늦게까지 학교에 남아 둘이서만 조곤조곤 이야기를 나눈 날도 있었다. 그 동안 많이 친해졌다. 그리고 그녀를 많이 좋아하게 됐다.

나는 서진이의 비음을 좋아한다. 미음, 니은, 이응. 언어와 매체 시간에 배우는 그 비음 말이다. 쉽게 말해서 콧소리. 어딘가 막힌 느낌이 드는, 그 뭉뚝함이 좋다.

서진이는 모든 단어를 그런 식으로 말한다. 애교스러운 콧소리. 내 목소리를 녹음해 들어보면 그렇게 듣기 싫은 코막힌 소리가 왜 그녀의 목소리로 들으면 그리도 달큰한지. 알 수 없는 노릇이다.

그녀는 웃음이 헤픈 여자고 나는 그 점을 좋아한다. 웃음을 머금은 채로 내뱉는 말들이 좋다. 자신이 잘 상처받는 만큼 남에게는 그러지 않겠다는, 단어 사이의 세심함이 좋다. 내가 그녀를 이루는 것들 중 가장 좋아하는 것은 반짝이는 눈동자도 아니고, 찰랑이는 긴 생머리도 아니고, 들으면 간지러운 기분이 드는 그 콧소리의 단어들이다.

서진이의 편지

그녀는 과분할 정도로 내 글을 좋아해주는데, 지금 생각해보면 그녀에게 보여준 글들이 대부분 나의 새벽 감성이 듬뿍 담긴 글이라 그녀의 감상이 이해가 되지 않는다. 어째서?! 너무… 오글거리지 않아? 라고 물어보면 그녀는 그 용기마저도 부러웠고 멋있었다고 얘기해줄 것이다. (내가 마음대로 생각하는 게 아니라 실제로 그렇게 말해줬다) 이런 점도 좋다. 그녀는 수많은 시각 매체가 난무하는 세상에서도 말의 힘을 아는 똑똑하고 감성적인 여고생이었다. 나는 그녀의 칭찬에 보답이라도 하듯 더 용기를 내 키보드 위에서 춤을 췄다.

그녀의 생일날이 되었다. 서진이를 좋아하는 마음에 비해 내 통장잔고를 여유롭지 못 해서 나는 편지지를 꺼내들었다. 서진이는 다른 친구들이 보내준 장문의 편지에 하나하나 인스타 스토리로 상냥하고 애정 어린 답장을 보여줬다. 나는 그게 질투나기도 했고 마침 시험일이 얼마 안 남아 딴짓거리를 할 바에는 그녀에게 진득하게 편지를 써보자 하고 한 자 한자 써내려갔다.

그녀와의 첫 만남을 적어내리고 그녀의 좋은 점을 나열하고 좋아하는 시를 공유했다. 그리고 그날 밤 그녀에게서 장문의 카톡이 하나 왔다. 흔쾌히 이 편지를 이 책에 싣는 걸 공유해준 그녀의 아량에 감사하며.

너의 편지를 받고 뭔지 모를 자그마한 두려움(편지 안에 뭐가 쓰여 있을지 몰라서 편지를 받으면 항상 이렇게 느끼는 것 같당)과 함께 그걸 덮어버릴 정도의 엄청난 설렘을 느꼈다. 편지를 읽기 전에만 느낄 수 있는 이 감정을 계속 느끼고 싶어 자기 전에 읽으려고 아껴놨었고 그래서 아까 열어봤더니 두툼한 종이 세 장이 내 취향인 글씨체로 꽉꽉 채워져 있어서 너무 놀랐어. 사실 어제 너랑 디엠 할 때 내가 말했던 글은 이렇게 퀄리티 높은 편지를 뜻한 게 아닌, 디엠으로 흔히 애들이 생일 축하한다고 전해주는 조금은 가벼운 느낌의 글을 말한 거였어. 네게 받는 글은 그것만으로도 충분하니까 그런데 직접 쓴 편지라니

ㅜㅓㅜㅜ 정말 과분하다고 느껴질 정도였다… 그것도 시험기간에. 너의 편지를 읽고 답장을 하지 않을 수가 없어 나도 모르게 폰을 들어 글을 써내려간다. 시험기간이라 촉박한 마음은 없잖아 있지만 그것보단 한시라도 더 빨리 너가 보여준 것에 대한 내 마음을 보여주고 싶은 마음이 너무나도 커서 지금은 새벽 2시 57분이지만 책상 앞에 다시 앉았다.

사실 솔직히 말하자면 시험기간이기에 가능했던 열정아닌가 싶다. 농담이고 나는 편지 받는 것을 좋아할 것 같은 사람의 생일이면 종종 생일마다 장문의 편지를 쓰곤 했다. 생일은 사실 지구에 태어나게 된 날 그 이상 그 이하도 아니지만, 365일 중 단 하루만은 자신의 날이라고 우길 수 있는 특별한 날이기도 하다. 중학교 때는 특히 용돈 쓸 곳이 생일 선물 밖에 없어서 편지지를 직접 만들어보기도 하고, 주문제작을 넣어 키링이나 팔찌, 도장 같은 걸 선물하기도 했다. 고등학생이 되자 돈 쓸 곳이 많아져 고등학교 친구들에겐 그런 특별한 선물을 해주지 못한 것에 안타까움과 미안함이 있다. 그래서 서진이에게 편지를 쓸 때 평소보다 단어를 골라서, 마음을 담아 썼던 것도 있다.

사실 편지를 읽다가 눈물이 났는데 이건 그냥 알아두도록 해. 그만큼 너의 편지가 정말 와 닿았다는 걸 말해주고 싶어. 나는 어휘력이 그다지 썩 좋지 않아서 내가 쓰는 5줄 이상의 글들은 모두 시간이 꽤나 걸린다. 진심일수록 시간은 훨씬 더 많이 걸려서 지금 쓰는 이 편지도 언제 끝날지 모르겠어.(그리고 난 너에게 하는 말들은 다른 누구에게 하는 말보다 항상 더 신경 써서 한단다… 너가 글을 너무 잘 써서 그에 걸맞은 답변을 하려면 항상 한참이 걸렸던 게 기억난다)

무튼.. 먼저 정말 고맙다는 말을 하고 싶어 민지야. 너의 편지에서 너무 많은 섬세함을 느껴서 진짜 감동이었다. 말 하나 하나가 항상 내겐 남들보다 크게 다가와서 흘러가는 말들에도 상처받고 감동받는 편인 내게 너의 편지는 정말 더할 나위 없이 완벽하다.

과언이다. 서진이는 이처럼 다정한 말을 계속 죽 늘어놓았다. 나는 읽는 동안 가슴이 간질거려서 심장을 벅벅 긁고 싶었다.

한동안 나를 정말 좋아했다는 말 속에서 과거형인 말이 계속 걸려 지금은 아닌 걸까 하고 마음이 아팠다. 하지만 그 뒤에 쓰여 있던, 이 말이 결코 지금은 나를 사랑하지 않는다는 게 아닌 날 좋아하는 게 익숙해졌다는 뜻이라는 너의 말에 눈물이 났다. 이 정도까지 생각해주는 사람이 너가 처음이여서 그랬나보다.

내 편지는 손편지기도 하고 부끄러워서 이 책에 안 실었는데, 사실 나도 서진이 못지않게 낯간지러운 말을 잔뜩 했다. 가령, 위에서 언급된 '나는 한동안 너를 매우 좋아했어. 과거형인 이유는, 지금 너를 사랑하지 않아서 그런 게 아니라 이제는 너를 좋아하는 게 아침 해가 동쪽에서 뜨는 것처럼 당연해져서 그런 게 아닐까 해.' 새벽이기도 했고, 내 주특기인 칭찬으로 그녀를 마구 간지럽히고 싶었기 때문이다.

사실 너가 느꼈을지는 모르겠지만 요근래 마음이 정말 많이 힘들었다 툭하면 눈물이 나서 예전의 엄청 어렸던 나로 되돌아가는 느낌이었어. 뭘 하던 더디고 느린 나에게 몰아닥치는 수행평가들이 너무 부담스러웠고 심지어 시험기간인 현상황에서 시간 낭비를 하고 있는 것만 같은 느낌이 너무 불안했어. 게다가 요즘 인간관계에서 느끼는 질투, 미안함, 허탈함이 나에겐 정말 너무 버거웠는데 최근에 이 모든 게 평소보다 더 크게 느껴졌고 모든게 뒤틀리는 듯한 느낌이 느껴져서 정말 많이 힘들었어. 사실 나는 지금 이걸 쓰면서도 울컥할 정도로 지쳐있다. 아마 내가 힘들다는 걸 너가 눈치채진 않았을테지만 타이밍이 절묘하게도 너가 편지에 담은 위로의 말들이 지금 꽤 힘든 시간을 보내는 중인 나에겐 그 어떤 때보다 가장 크게 위로가 됐다. 너는 말로 하는 위로를 그 누구보다도 잘하는 사람이야. 이렇게 꽉 찬 위로를 받았다는 느낌을 느낀 적이 정말 오랜만이다.
나는 너의 편지를 읽으며 언어의 대단함을 다시금 느껴.(이건 너의 글을 읽을 때만 느끼는 거야) 흔히 듣는 말들을 너는 항상 조금 다르게 바꾸어 말하거나 쓰곤 하는데 거기서 느껴지는 어감이 너무너무 좋다. 이 작은 차이가 나는 정말 잘 느껴져서 나보다 더 많이 느낄 너에게 글을 쓸 땐 항상 수없이 많이 고민하는 이유기도 하다. 내가 받은 감동을 너도 내 글에서 느꼈음 해서.(그래서 막 고급진 단어를 사용하려고 하기도 하는데 귀엽게 봐주길 바라…)
사실 나는 인스타에 내 글을 올리는 걸 다소 꺼려했다. 나와 친한 아이들 대부분은 내가 쓰는 진심들을 오글거린다고 치부하곤 했기에 점점 내 글을 보여주기가 싫어졌고 가끔 올릴 때면 민망했다. 하지만 너의 비공을 팔로우 하고 나서부터 생각이 바뀌었다. 남의 눈치 따위 보지 않고 간지럽기도 하고 진지하기도 한 멋진 글들을 올리는 올리는 너를 선망했다. 그래서 그 이후부턴 나도 바뀌기 시작했던 것 같다. 그래서 고맙다고 꼭 말해주고 싶어. 너가 내게 단단해지는 법과 생각하는 법을 알려주었기에 열여덟의 내가 정말 많이 성숙해질 수 있었어.

누군가가 내 글을 읽고, 그를 바탕으로 변화할 수 있다는 가능성은 상상도 해본 적 없다. 이 편지를 읽으며 가슴이 참 싱숭생숭했다.

항상 받은 마음을 몇 배로 돌려주고픈 내 마음이 상대에게 혹여나 부담이 되진 않을까 하는 생각이 나이를 먹으며 자연스럽게 자리잡게 되어서 글을 쓸 기회가 있을 때마다 매번 걱정하는 나지만 너는 분명 나의 마음을 좋아해줄 거란 근거 없는 확신이 있기에 이 편지에 내 모든 진심을 적고 싶어.
민지야, 너가 날 어떻게 생각하고 있을진 모르겠지만 난 생각보다 많이 미숙하고 어리다. 관계에서 오는 기쁨을 누구보다도 소중히, 완전히 느끼지만 그만큼 사소한 일들에 상처도 많이 받고 많이 서운해한다. 이 말을 하는 이유는 사실 전에 너를 좋아하는 마음을 누르려고 했던 적이 있었기 때문이다. 나는 너를 정말정말.. 좋아했고 여전히 좋아한다.(지금도 그때만큼 좋아하지만 그때의 서진이로 말해볼게) 올해 들어와서 널 처음 알게 되었을 때, 넌 여지껏 내가 알고 파악하던 보통의 사람들이랑은 완전히 달랐다. 너같은 사람을 단 한 번도 만난 적이 없었다는 말이다. 나는 생각이 진짜 많은 사람인데 그걸 정리하고 최종적인 생각을 도출해내진 못하거든. 그래서 항상 머릿속이 복잡해. 근데 너는 그걸 할 수 있는 사람 같았어. 그래서 너 얘기를 듣다 보면 머릿속이 자연스럽게 정리가 되는 걸 느꼈다.(진짜 너무 신기했음) 그리고 너랑 말 할 때면 정말 즐겁다. 내가 신나서 이것저것 말해도 너의 리액션은 지칠 기색이 안 보여. 너가 나한테 크게 웃으며 말해주는 것들을 듣는 것도 정말 재밌다. 그래서 너랑 얘기할 때 유일하게 아무런 단점도 보이지 않았다. 그리고 네 말들 속엔 항상 감동이 배어있다. 하는 말마다 정말 속깊고 똑똑한 게 느껴져서 내 눈에 넌 항상 대단해보였다. 그래서 너가 하는 말들은 항상 귀기울여 듣는다. 너가 애들이랑 신나게 떠들거나 애들 앞에서 뭔가를 말해줄 때, 내가 너와 멀리 떨어져 있어 반응 할 수 없는 거리여도 모두 새겨듣고 있다. 그리고 혼자 감탄하거나 깨닫거나 공감하곤 한다… 그래서 너랑 더 많이 얘기하고 싶어. 너는 정말 단단하고 올곧은 사람이라는 게 느껴져.

넌 종종 날 보며 사랑스럽다고 해주곤 하지만 진짜 사랑스러운 건 너야. 난 너의 웃는 모습에 항상 설레거든. 어제도 너가 날 보면서 뭔갈 활짝 웃으며 말했는데 (순간 심장이 쿵해서 뭐라 말했는지는 기억이 안 나) 진짜 설렜다.

너가 웃을 때마다 휘어지는 눈과 예쁘게 웃는 입이 정말 귀엽다. 근데 난 너한텐 유독 잘 표현하지 못 하는 것 같아. 내가 널 너무 좋아하는 감정들이 나한테도 낯설고 표현하기엔 너무 커서 표현하기 시작하면 주체를 못 할 것 같기에… 무튼 난 그만큼 너를 좋아한다. 너의 글뿐만이 아니라 분위기, 말투, 행동 모두 다 좋다. 나긋나긋하고 항상 여유로운 널 보면 편해져야 하는데 항상 설레는 것 같아서 신기하다. 이렇게까지 누군갈 좋아한 적이 없었기에 난 너의 마음보다 내 마음이 훨씬 크다고 생각했다. 그래서 너의 말에 다른 애들한테 듣는 것보다 더 서운할 때도 있었고 너가 좋아하는 아이들이 질투날 때도 있었다. 근데 그런 것들 마저 표현하기 조심스러워서 그럴 때마다 티 내기 싫어서 말을 안 걸곤 했지.. 유치하니?… 나도 이런 적 처음이다. 난 너를 진짜 많이 좋아하는 것 같다. 오히려 너한테는 표현을 덜 해서 못 느꼈을 수도 있겠지만. 음.. 부끄럽당 뭐야 나 진짜 왜 이러니? 사실 평생 밝히지 않으려 했어. 나중에 연애를 해도 사람 자체를 이렇게나 좋아했던 건 너가 처음이자 마지막일거야.

지금은 4시 51분이야. 예상은 했지만 정말 많이 걸렸구나. 사실 난 너에게 편지로 답장을 써서 주고 싶었고 원래 그럴 계획이었기에 폰은 초고를 쓰기 위한 수단이었다. 먼 미래에 너가 방청소를 하다 우연히 내 편지를 발견해 읽는 걸 상상했지만 이 많은 걸 다시 편지로 옮겨 쓸 엄두가 나지 않는다…(음.. 프린트 해서 보관해놔야ㅎ) 아마 난 너에게 편지로 답장을 하지 못 한 걸 평생 후회할 것 같긴 하다. 하지만 여기에 내 모든 마음을 담았기에 너가 기뻐해준다면 난 조금 덜 아쉬워할 수 있을 것 같다.
민지야 네 덕에 열여덟의 내 생일이 정말 특별해졌어. 너는 아무런 선물도 주지 못했다고 말했지만 이 편지가 올해 내 생일에서 가장 값비싼 선물이 될 것 같아. 널 정말 많이 아끼고 사랑해. 평생 그럴거야.

누군가에게 이런 편지를 받았는데도 그를 사랑하지 않을 수 있다는 그 사람은 인간이 아닐 것이다. 이 책을 쓰며 이 편지를 몇 번이고 다시 읽었다. 서진이와 나는 평범하고 사이좋은 친구관계이고, '평범한 친구' 사이에는 거대한 애정이 담겨있다.

편지를 주고받는 것은 참 즐거운 일이다. 손편지는 단어 하나하나 골라 꾹꾹 눌러 담는 재미가 있고, 타자로 보내는 편지는 빠르게 쓸 수 있는 만큼 방대한 양을 적어 보낼 수 있어 좋다. 편지를 주고받는 문화가 다시 돌아오길, 문득 바라본다.

민서

민서는 참 신기한 친구다. 초등학교를 같이 나와 엄마끼리 친해지다 보니 계속 만나게 됐는데, 어릴 때는 좀 싸웠던 것 같지만 지금은 참 잘 맞는다. 민서는 내가 가장 자주 집에 놀러간 친구기도 하다. 그는 외향적이고 활발한 성격은 아닌데, 사람을 끌어당기는 매력이 있다. 단어 선택이 참신하고, 냉철한 판단이 독특해서 매력적이다. 소위 말해 '웃수저'다. 선천적으로 남을 웃기게 하는 힘이 있는 것 같다. 진남여중에서도 인기가 많았어서 내가 민서 덕을 좀 봤다. 진남 애들에게 그의 이름을 물어보면 모르는 사람이 없었다. 진남 친구들과 처음 이야기를 나눌 때 자주 소재로 썼다. 좀 미안하네... 미안. 솔직히 성격이 잘 맞는다기 보단, 생각이 자주 겹친다고 해야 하나? 관심사가 잘 맞는 것 같다. 지금은 민서가 기숙사 학교에 가서 텔레파시가 잘 안 통하는데, 중학교 때는 정말 사고 싶은 거나 생각하는 게 많이 겹쳤다. 갑자기 똑같은 노래를 흥얼거린다거나 말이다.

사실 나는 줄곧 민서를 짝사랑하는 기분이었다. 나는 민ㅋ서를 친구로서 정말 좋아하는데 민서는 아닐까봐. (뭐 지금은 애정의 무게가 달라도 상관없다) 그런데 민서의 또 다른 진남 친구인 서형이가 내 이름을 보고 단번에 민서의 친구냐고 물어왔을 때 약간 감동했다. 화양중 시절 내 친구들은 민서를 다 알았는데, 민서의 친구들도 나를 안다니, 신기하고 기분이 이상했다. 어느새 그녀를 만난 지 10년이 다 됐다. 입학식 날 핑크색 파카를 입은 파마머리의 권민서도, 지금의 밤톨머리 권민서도 모두 아낀다. 고등학교 생활 잘 이겨내고, 서로 원하는 것을 이룬 상태로 나중에 서로의 집에 가 밤늦게까지 떠들자. 민서야, 나 아직 너 못 잊었다... (농담이고 잊을 생각 없다) 밥이나 한번 먹자.

정환이

정환이도 초등학교 친구다. 정환이는 초등학교 3학년에 전학 왔는데, 마침 그가 전학 온 날에 내가 결석해서 그를 반 친구들보다 하루 늦게 만났던 게 기억난다. 그는 안경을 끼고 나보다 체구가 훨씬 작은, 부산 사투리를 쓰는 게 재밌는 남자애였다. 목소리는 되게 촐랑거렸던 것 같은데 수학을 좋아하고 큐브를 휙휙 맞추는 게 신기하고 멋져보였다. 우리는 초등학교 때 제법 죽이 잘 맞았었다. (아마도?) 강정환이 추천해 준 배구 만화 하이큐를 나는 단행본 전권을 살 정도로 좋아하게 됐고, 이것 외에도 제법 겹치는 취향이 있었다. 졸업하고 나서, 나는 기숙사에 들어갔고 그는 남중에 들어갔다. 그 이후로 만난 적이 없다. 약 5년간 메시지만 주고받았다. 나는 먼저 연락을 잘 안 하는 편인데 그가 먼저 메시지를 보내왔기에 가능했다.

돌아보면 메시지로 온갖 얘기를 다 했다. 남중과 공학의 차이점, 잘 알지도 못하는 정치를 입에 담기도 했었고(일단 난 잘 모르는데 아는 척 했다) 그가 보여준 글을 읽고 리뷰를 써주기도 했다. 나는 그가 나중에 어떤 문학상을 받게 되는 상상을 하며 글을 읽어 내린다. 특유의 건조한 필체가 있는데 사실 전혀 내 취향이 아니지만 읽다보면 재밌어서 다음 편을 요구하게 된다. 괘씸하게 나한테 완결까지 써준 적이 없다. 사람 놀리는 것도 아니고. (농담이다) 영화나 음악과 책도 엄청 많이 추천해 줬다. 미안하지만 추천작을 실제로 감상했던 적은 많지 않다. 진심 100편은 추천해준 것 같은데, 5편도 안 본 것 같다. 안타깝게도 그의 8년지기 친구는 한 가지 작품을 진득하게 돌려보는 타입이라, 새로운 작품을 받아들이는데 오랜 시간이 걸린다. 그리고 그 친구의 최애 작품은 드림웍스의 트롤이다. 나는 이렇게 변명한다. 진짜 나중에 다 볼게. 반쯤 진심이다! 시간만 있다면 말이다.

아무쪼록 정환이와도 사이버 친구 생활을 5년 동안 해왔다. 그는 그 사이에 나보다 키가 컸고, 인천으로 이사를 갔고, 진짜 만날 수 없는 사이버 친구가 됐다. 목소리조차 가늠가지 않는다. 언젠간 만날 수 있겠지? 사실 너무 오랜만이라 민망할 것 같다. 그래도 만나야지. 텍스트로는 대

화의 한계가 있다. 만나서 그가 조잘대는 걸 듣고 싶다. 내가, 문자에서는 영혼 없어 보여도... 실제론 리액션의 장인이니까. 기대하시라. 잘 들어주마.

쓰고 싶었던 친구들이 많았는데, 차마 모두 담지 못 했다. 언젠가 기회가 된다면 꼭 글로 담아보겠다. 우리 북초, 화양중, 여수여고 2-1반 친구들. 채원이, 디자인스타 친구들, 공창모 친구들. 하고 싶은 말이 많은데 페이지 수가 한정되어, 아쉬움 따름이다.

민희와의 데이트

여름방학식 날, 학원이 끝나고 집에 가는 길에 민희랑 버스에서 만났다. 버스에서 우연히 인연을 만난 게 오랜만이기도 했고 마침 심심해서 민희 다이소가는 걸 따라갔다. 바다도 잠깐 걷기로 했는데 어쩌다보니 멈추지 못하고 쭉쭉쭉 걸어서 거의 하멜등대 코앞까지 걸었다. 바다 냄새는 짜고, 바람은 솔솔 불고, 걷다 보면 버스킹, 걷다 보면 춤 공연, 또 걷다 보면 노래 부르고 있어서 지루할 틈이 하나도 없었다. 오색 빛깔로 일렁이는 까만 바닷물을 보다가, 사람 구경 하다가, 새로 생긴 카페 얘기하다가... 변화라는 것은 무언가를 추억하기 위해 계속 되는 것이라고 해도 과언이 아닐 정도로 정말 달콤한 대화 소재이다.

옛날에 술집과 카페와 온갖 유흥거리들이 난잡하게 섞여있는 쫑포의 거리 가운데 트램폴린이 하나 있었다. 내가 초등학교 저학년일 때에는 공방에 수요반과 금요반이 있었는데 금요반은 종종 수업이 끝나고 쫑포로 가서 트램폴린을 다 같이 타곤 했다. 선생님이 방방을 타러 가자고 하면 우리는 중간에 누구하나 신발이 벗겨져도 모를 정도로 우르르 방방이를 향해 뛰어갔다. 어릴 적부터 이 부근에 살던 민희도 나의 추억에 맞장구를 쳤다. 그렇게 둘이서 추억을 공유하며 걷고 있는 동안, 신발을 벗고 방방타기를 기다리며 수업을 들었던 나와 아예 트램폴린을 쫑포라고 알고 있었던 어린 민희가 눈에 아른거렸다. 순진하던 어린 시절로 다시 돌아간 기분이었다. 다 헤지고 색이 바란, 이제 사라져 더 이상 볼 수 없는 그 방방이가 어느 때보다 선명히 그려지는 밤이었다.

여수 밤바다-는 이제 거의 고유 명사화돼서 그런지, 관광지 사는 현지인 입장에서 그다지 감명 깊은 단어는 아니다. 그럼에도 쫑포 해양공원을 걷고 있노라면 역시 말에는 힘이 있구나라는 생각이 든다. 사실 나와 민희가 쫑포를 트램폴린으로 기억할 적만 해도 쫑포는 그닥 낭만적인 곳이 아니었다. 그런데 하도 낭만여수 낭만여수 떠들어대더니 말의 힘인가, 아님 꿉꿉한 여름 공기의 힘인가 정말 오늘의 여수 바다는 참 낭만있었다. 바다에 일렁이는 빛들과 온갖 소리가 섞여서 아무 말도 내뱉지 않아도 몽글몽글함이 채워졌다. 가만 생각해보면 애초에 버스에서 갑자기 만난 친구랑 약 2시간 가량을 걸으며 얘기하는 거 자체가 낭만 아닌가 싶다... 가끔은 이렇게 깜짝 찾아온 인연과 하루를 보내는 것도 즐거운 일이라는 걸 깨달았다. 민희와의 게릴라 데이트, 참 즐거웠다.

우리가 쫑포 거리를 걷고 있는 동안은 주변에 온통 가족과 커플들로 가득했다. 나와 민희가 만약 교복을 입지 않고, 조금 꾸미고 온 상태였다면 없던 감정도 생겼을 것 같다. (물론 그럴 일은 없다) 쫑포를 둘이서 이렇게 놀러온 건 하린이랑 온 이후로 이번이 두 번짼데, 여수여고에 다니기 시작하면서 매일 보는 바다임에도 불구하고 심장이 유난스럽게 뛰었다. 나중에 평생을 함께 하고픈 소중한 사람이 생기면 꼭 데려오고 싶다.

1학년 7반 친구들

새로운 학교, 새로운 학년에 들어설 때마다 혼자가 되는 미래를 상상한다.

혼자가 되어서, 밥 먹을 친구가 아무도 없으면, 혼자 밥을 먹으며 단어를 외우고, 남은 점심시간엔 도서관에 가서 공부를 해야지. 그래서 서울대에 가야지. 하고 다짐한다.

하지만 그 구체적인 슬픈 상상이 무색하게도 새롭고 소중한 만남은 늘 찾아왔다. 작년 만난 1학년 7반의 친구들은 그중에서도 특히 내게 다가와준 것이 고마운 친구들이다.

화양중이라는 작은 학교를 다니고 혼자 여수여고를 썼다. 당연히 혼자 썼으니 혼자 붙었고 내 친구는 같이 학원을 다니던 한 명 뿐이었다. 그 친구는 스페인어과였고 나는 일본어과였다. 그렇다. 학교에 친구가 없었다.

교문 앞에선 서로의 친구를 기다리는 아이들이 여럿 서 있었다. 부럽다고 생각하며 그들을 지나쳐 애써 당당히 걸었다. 나의 교실은 제법 구석지에 있어서 찾아가기도 힘들었다. 층이 네 개나 있는 학교라니, 초등학교도 중학교도 최고층이 2층이었는데…. 오르는 동안 숨이 가빠왔다. 일본어과는 교실이 별로라던 여수여고 신입생 오픈채팅에서 어렴풋 보았던 말이 머리에 빙빙 맴돌았다.

교실에 들어오니 다행히 홀로 앉아 고개를 핸드폰에 고정하고 있는 아이들이 몇 있었다. 난 그 동안 내 인맥을 총동원해서 알게 된 아이들과 얼굴을 마주보았고, 인스타 디엠으로만 연락하던 어색한 관계가 얼굴을 마주보자 인연으로 뒤바뀌는 것 같아 기분이 묘했다. 그들을 조우하고 나니 조금 자신감이 생겨 하나둘씩 말을 걸고 다녔다.

어느덧 학기 말, 우리 7반은 각기 다른 서로의 패턴으로 힘껏 널브러져 있었다. 틀어놓은 킹덤 드라마는 지금 무슨 상황이야? 물어가며 졸다 보다 졸다 보는 사람이 대부분이었고, 게임을 하거나 누워서 소곤거리며 실없는 농담을 주고받았다. 언제부터 이렇게 됐지. 언제부터 이렇게 편해졌을까. 아무튼 그 모든 게 좋았다. 꽃이 보이지 않는다며 투덜거렸던 창문 너머 앙상한 나뭇가지부터, 사실 처음엔 좀 무서우신 쌤인 줄 알았던 다정한 담임 김기연샘까지. 낯선 것 밖에 없었던 고등학교에서 편안함을 느끼기까지 순식간이었고, 그래서 그들이 참 소중한 인연이라 생각한다. 열심히 준비한 합창제도, 웃으며 들었던 기연 샘과의 수업도, 모두 좋았다. 그들이 행복했으면 좋겠고, 즐겁고, 기쁘게 삶을 살아갔으면 좋겠다. 좋은 일이 생기면 내게 마음껏 말해주면 좋겠다. 진심을 담아 축하해 줄 테니.

이 글을 마치며

스승의 날 때, 작년 나의 담임이셨던 기연 샘께 편지를 썼다. 선생님은 말로는 매정한 척 하지만 의외로 엄청 세심하시고 다정하시다. 학생들에게 좋은 선생님이 아니라고 주장하시는데, 내 생각엔 선생님이 학생을 엄청 생각해주시는 것 같다. 한 시간 반이 훌쩍 넘는 시간이 걸리는 상담을 한 번도 아니고 여러 번 해주신 걸 보면 쉽게 유추할 수 있는 사실이다. 아무튼 나는 이어진 선생님에 답장에 큰 감동을 받았다. 올해, 내가 살아가는 힘이 되었던, 선생님의 이어진 답장 일부를 첨부한다.

(전략) 그런데 그 와중에 너는,
사람좋아하고,
긍정적이고,
취향발산적이고,
호기심많은,
먼가 반짝반짝한데 착한 학생이라,
좀 신선했어.
내가 일해라절해라 잘못하면,
니가 가지고 있는 반짝거리는 것들이,
멍텅해지진 않을까... 싶었다.

지금과 같은 성품으로 자란다면,
니 주변에는 사람이 늘 있을꺼고,
그 중에 정말 네게 도움이 되는,
그런 소중한 사람도 있을거다.
그 중에 길이 있을 수도 있고
하고싶은거,
나쁜짓아니면,
열심히 하면서 사세요.
그렇게 졸업할 때까지
반짝반짝하면 좋겠어요.
말이 길었네요.
항상 고맙고요.
계속 반짝반짝 하세요.
전민지씨.

내가 반짝반짝을 사랑하게 된 데에는 오로지 이 글 안에 있다. 선생님은 큰 생각 없이 쓰셨을 줄 몰라도, 나는 이 말을 평생 품고 갈 것이다. 선생님 덕분에 내 열여덟이 반짝반짝 해졌을 지도 모른다. 이 날 이후로 내 마음 속엔 항상 반짝임이 있었다. 나는 반짝거릴 수 있다는 자신감을 갖고 살게 되었다.

이 책을 여기까지 읽었다면, 나를 많이 사랑하는 사람일 것이다. 어떻게 이 이야기를 여기까지 읽어내셨나요. 감동입니다. 사실 조금 놀랍기도 하다. 지루하진 않으셨나요... 읽느라 수고 많으셨습니다. 이렇게 나에 대해 생각하면서 이 책을 읽어낸 여러분도, 부디 반짝거리는 삶을 사시길 바랍니다. 우리 모두 반짝반짝 빛나며 살아갑시다. 감사합니다. 사랑합니다.